히카루가 죽은 여름 4

초판 1쇄 발행 2024년 7월 20︎

작가_ Mokumokuren
옮긴이_ 송재희

발행인_ 최원영
본부장_ 장혜경
편집장_ 김승신
편집진행_ 권세라 · 최혁수 · 김경민 · 최정민
커버디자인_ 양우연
내지디자인_ CMY그래픽
국제업무_ 박진해 · 남궁명일
관리 · 영업_ 김민원 · 조은걸

펴낸곳_ (주)디앤씨미디어
등록_ 2002년 4월 25일 제20-260호
주소_ 서울시 구로구 디지털로 32길 30, 코오롱디지털타워빌란트 1301-1308호
전화_ 02-333-2513(대표)
팩시밀리_ 02-333-2514
이메일_ lnovellove@naver.com
L노벨 공식 카페_ http://cafe.naver.com/lnovel11

HIKARU GA SHINDA NATSU Vol.4
©Mokumokuren 2023
First published in Japan in 2023 by KADOKAWA CORPORATION, Tokyo.
Korean translation rights arranged with KADOKAWA CORPORATION, Tokyo.

ISBN 979-11-278-7657-9 07830
ISBN 979-11-278-6778-2 (세트

값 6,000원

저벅

저벅

저벅

저벅

다음 권 예고

계속 이대로 있을 수

있는 거가?

부정함이 아니라…

가장 위험한 건

히카루가 죽은 여름

5권에 계속

후기

4권도 읽어 주셔서 감사합니다.
3권까지가 「일상편」이었다면
4권부터는 「풀이편」입니다.
마을의 업보란 무엇인지, 히카루와 요시키는 무엇을 이룰지,
계속해서 지켜봐 주시면 좋겠습니다.

어시스턴트
노무 님
항상 감사합니다!

그 목소리는
요시키가
살면서 낸
가장 큰 소리
였다고 한다.

우리 먼저
집에 가도
되제?

반드시 넘어지는 복도?

어째서?

진짜로 여기만 유독 미끄러진데이.

내도 몰라.

되게 덜렁댄다고 생각했는데.

그거 복도 때문이었나.

오늘은 버텼디!!

하라쌤도 매일 넘어진디.

미끄럽다는 걸 알면 안 넘어지겠지….

여기서 안 넘어지고 걸은 사람이 이기는 거다?

하하
하하.

우호호.

뭔데,
그거.
기분
나쁘게.

마키.

니들,
머 하는데?

따라와
바라.

아.

느그들
한가하제?!

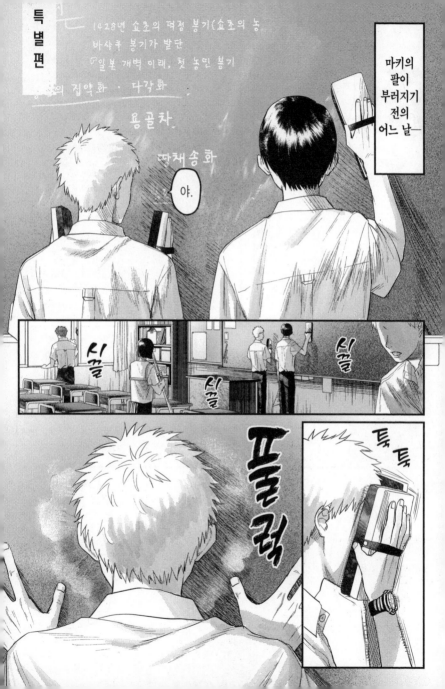

히카루는 어휘력이 부족하여
「좋아한다」라고 말하지만,
인간이 생각하는
「좋아한다」와는 다릅니다.
개가 왜 구멍을 파는지,
고양이가 왜 발톱을 가는지
인간이 본질적으로는
이해할 수 없는 것처럼,
히카루의 「좋아한다」도
사람은 이해할 수
없는 걸지도 모릅니다.

타나카는
영능력자가 아니라서
아무것도 안 보입니다.

물리적인 사인을
발견하여 다각도로
판단하고 있습니다.
(예: 방울 소리, 햄스터)

190cm에 가까운 키

그런 것도 모르니까…!

의식도 제대로 치루지 못 한 거지!

느그 집의 「사당」이라도 보고 온나!!!

느그 성이 왜 「인도우(림堂)」인지!

못 들었나?!

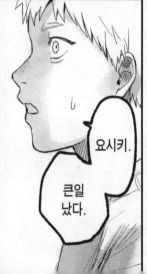

요시키.

큰일 났다.

자, 잠깐,

지, 진정, 진정하세요.

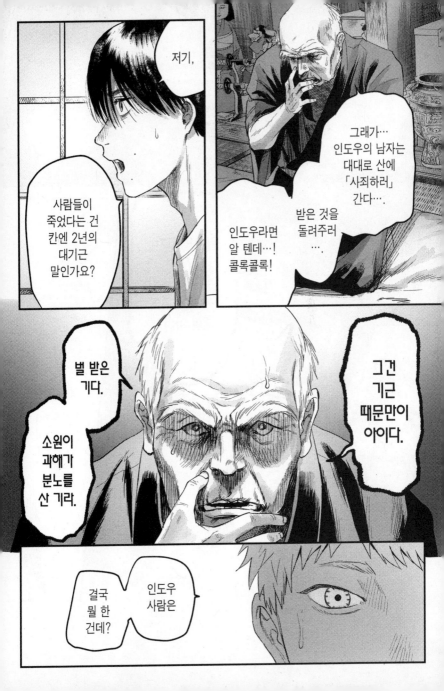

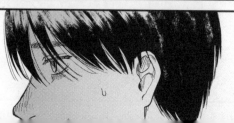

그… 저,

타케다 할아버지에게 여쭙고 싶은 게 있어서…

조사 학습 같은 건데요…

네네, 어라…?

인도우네 아들…? 웬일이고.

무슨 일인데?

밖에도 안 나갈라 카고. 뭘 물어볼라고?

아버님에게? 상태가 저래가 뭐 되겠나?

이런 주부기 해도 여기저기 은혜를 베풀어 뒀거든….

만약 곤란한 일이 생기믄 내 이름을 대도 된데이.

아.

딩 동

실례
합니다~.

타케다
가

밑져야
본전이다.

실마리
니까…

우리랑
제대로 얘기해
주겠나?

타케다
아저씨도
무서운데.

맞다.

타케다 할아버지,
집에 계속
틀어박혀 지내제?

왜 왔었는데?

갔지. 아마도.

어? 아… 응.

잘 모르겠다.

기억이 애매해가지고

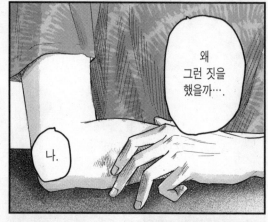

왜 그런 짓을 했을까….

나.

뭔가 거대한 덩어리며, 지옥 같은 것.

그리고 윤회의 고리를 벗어난 존재.

피뢰침처럼 부정함을 모은다.

하지만 부정함은 아니다.

니는 신님인 거가?

내 보고 그래 말하드나?

뭔가 잘 이해가 안 가는 표현이네.

신인데 와 이래 고민하고 있는 거고….

그런 거 아이겠나? 노우누키 「님」이라고 불리고 있고.

…야.

니 「모방」은
늘 엉성했다
이가…

내
말이~.

히카루는
의식에 대해
모를 리가
없을 낀데,
내는…

뭐,
봉인하는
역할인 거
아이겠나.
모르겠지만.

흐음~.

그래가
탄압받은
종교의 신도가
도망쳐 왔다
하던데

거기에,
이 주변의 마을은
원래
하나였다는 거.

지명이
와 이래
이상하지?

서양 종교가
들어오기 전에
노우누키 님 신앙이
있었던 거가?

옛날부터
영주가 간섭하기
어려운 땅이었다는
것도 좀….

완전
다르지….

야…
내랑
히카루의
어데가
다른데?

이해하기
어려웠지.

니보다는
눈치가 빠르고
어른스럽고…

그러니까
다르다.

이제 절대
돌아오지 않아.

꽤 치사한
구석도
있었고.

좀 더
악동에다
거짓말도
하고

거기에…

…좋아했나?

……

그게… 가장… 무서우니까.

하지만 그 녀석이 있으면 니를 잊지 않을 수 있으니까 기쁘다.

우와.

옛날에 여기서… 자주 놀았었지.

여기 있었나.

옛날 생각 나네….

아~ 이거.

그 녀석이
있는 한

아무도
니를 추모하지
않으니까….

이런 거라
미안하디.

제 21 화

젊은 시절의
쿠레바야시 씨

고생을 많이 함.
친모는
이미 타계하여
시어머니에게
도움을 받음

히카루의 알맹이는 실체가 없어서
그 풋(검상들기)이 필요하다.

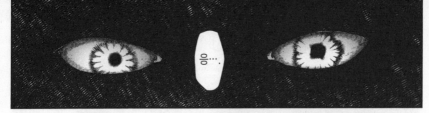

응…

갑자기
뭔데….
뭔 일
있나?

거 있지 말고
들어온나.

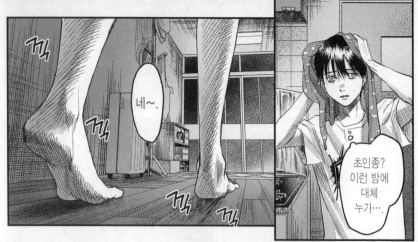

네~.

초인종?
이런 밤에
대체
누가…

히카루?

누구
세요
~?

저벅
저벅
저벅

딩동
ㅡ

딸
그
랑

수고했어요.

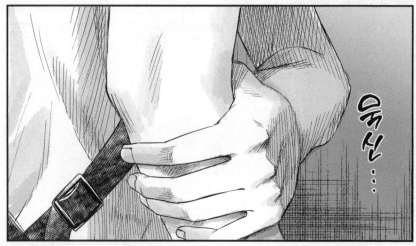

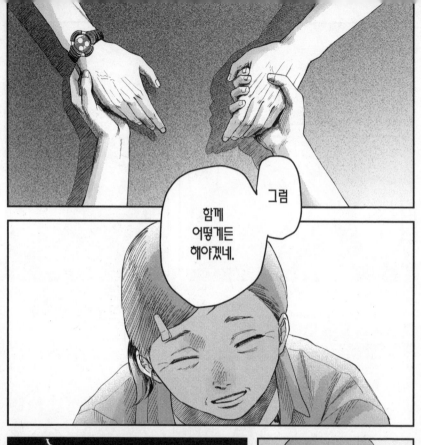

그럼 함께 어떻게든 해야겠네.

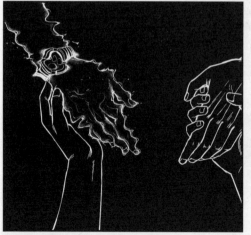

착한 아이들이야.

겨우 생긴 소중한 보금자리니까

지키고 싶습니다.

그러기 위해 사람이 죽는 걸… 못 본 척하지는 않을 거예요.

그렇구나.

…저는 이 녀석을 끝까지 따라가겠다고 결심했으니까.

내는
생명의 무게에
대해선
잘 모르겠다.

전부
내팽개치고
도망칠 수도
있다.

그치만
요시키는
절대 그런 짓
안 할 끼다.

내는…

요시키가
소중히
여기는 것…
그건 내한테도—

내는… 부정함과는 다르다. 아마도.

근본적으로 뭔가….

…하지만 히카루와는 전혀 달랐지.

그건 틀림없이 남편의 혼이었지만

그저 부정함에 불과했거든….

저기…

「노우누키 님」을 아세요…?

히카루는 뭔가…

윤회의 고리를 벗어난 것 같은,

좀 더… 이해할 수 없는… 그런….

노우누키 님?

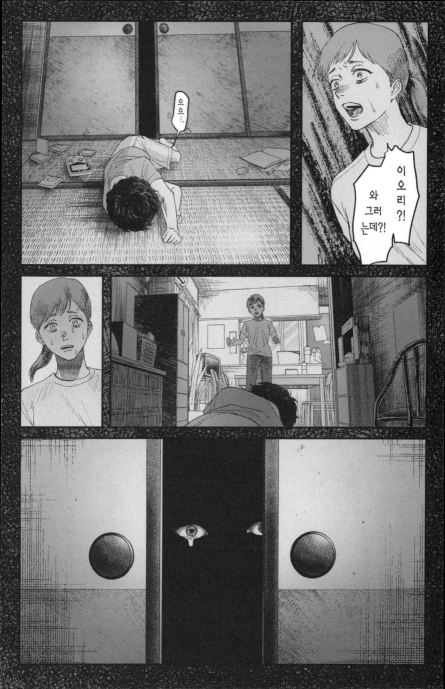

흥응
...

지금은
다르다.

맹세코,
다르니깐.

...당연
한가.

닌 내를
전혀
안 믿었던
거네.

아줌마,
뭐 하는
사람인데?

응…

다행
이다.

안
다쳤나?

저
사람…

어?

뭔가
알고
있나?

얘기
했나?

엇…

…누구?
누군데?

요시키
…

산에 있었을 때는 피뢰침처럼 산에 부정함을 모아줘서

딱 그런 느낌인 거지.

마을이 어떻게든 무사했던 거겠지.

지금은 사고니 사건이니… 큰일이다.

그렇네….

하지만 이렇게나 부정함이 많은 건 솔직히 이상하데이.

히카루 때문이 아니라…

일어난다는 건가요?

그 부정함 때문에 사고 같은 게…

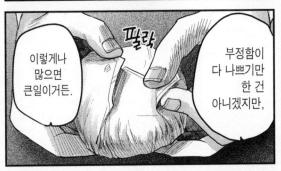

이렇게나 많으면 큰일이거든.

부정함이 다 나쁘기만 한 건 아니겠지만,

팔락

소멸시키는
건…

신이 아니라서
못 해.

뭔가

알겠어요.

잘은
모르겠지만

뭐였더라,
그—

빌딩
옥상에 있는
바늘 같은…

저
애는…

부정함을
엄청
끌어들이는 것
같데이.

학생도
그렇
지만.

맞다
맞다.

피뢰침
이요?

저기,
저,

아까 그건
뭐, 뭔가요?

아까
본 건
있제~

아주
오래되고
강력한
부정함을
이용한…
저주 같은 거다.

누가
오래된 무덤을
파내서 만들지
않았을까 싶네.

「부정함」
같은….

부정함
이라는
건….

쪼르르

운 좋게
쫓아냈
지만…

정확히는
저쪽이
물러난 것에
가깝겠네.

저 애가…
전에 말했던?

충고해도 안 듣지,

남자 애들은….

후…
하긴.

…죄송 해요.

우…

엄마 탓이다….

마이 아프나?

엄마가 잘못했다.

알고 있었을 건데….

알고 있었다.

타나카의 햄스터에는
어떤 사정으로 인해 인간 아이의
영혼이 들어가 있습니다.
의식은 햄스터지만, 그 덕분에
이 세상 것이 아닌 존재를
감지할 수 있습니다.

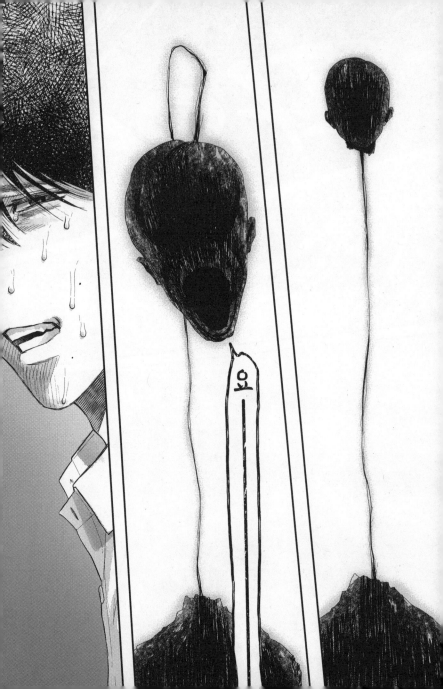

웅성

웅성

딩동—

달그락

YEISIKAYO

달그락

8번 주문
부탁 드려요~

그래서
말이지…

웅성

어서
오세요~

…있제…
「내 조각」
제대로
갖고 있나?

툭

달그락

웅성

웅성   팔락

타케다
할아버지랑
어떻게
얘기할지도…
같이 생각하고
있다.

달그락

지금 공부가
눈에
들어오나?

헉…?!
진짜가.

꺄악
——!!

저거,
사람
이다.

아.

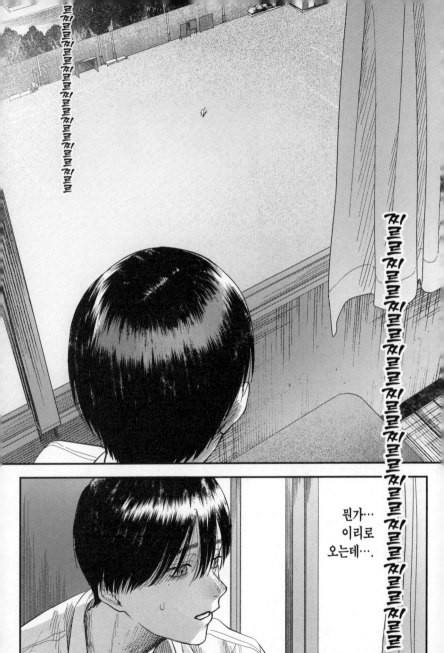

찌르르찌르르찌르르찌르르찌르르찌르르

찌르르찌르르찌르르찌르르찌르르찌르르찌르르찌르르찌르르찌르르찌르르

뭔가…
이리로
오는데….

노우누키 님…
아직도 모르는
것투성이다.

하지메네
아버지…

타케다
할아버지한테
물어보면
어떨까요?

어머니와
같은 연배
시거든요.

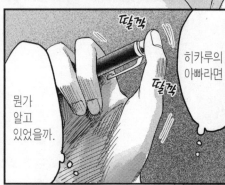

히카루의
아빠라면

딸깍

딸깍

뭐가
알고
있었을까.

집에
찾아가도
제대로
상대해 주지
않겠지.

어떻게
하지….

응…?

하아
…

아니,
그럴 리
없어.

그 친구가
「노우누기 님」?

확실하게
그것과
접촉한 거야.

하지만 뭔가
그것과 깊게
관련된 물건을
가지고 있어.

행방불명됐었던
인도우의 아들.
역시 그쪽에
뭔가…….

이 마을에
고등학생은
두 명밖에
없잖아.

팔에
자국…

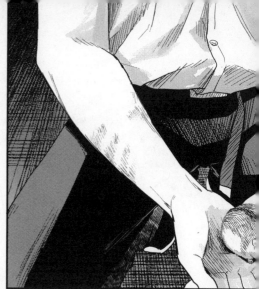

학생은
나랑
비슷하네요.

또 봐요.

……

이 녀석은 특별해요.
요괴 햄스터니까.

예…?
농담이죠…?
햄스터의 수명은
2~3년
아닌가요…?

어…
아무튼
고맙습니다.

아~
미안해요.
똥 쌌네.

저 때문에
긴장했나
봐요.
죄송해요.

…

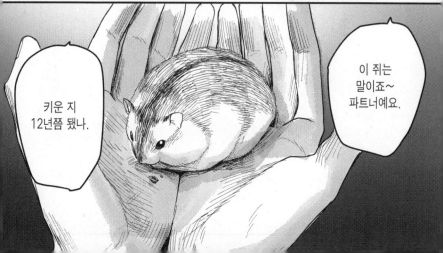

오~

그런
가요.

편식하지 않고
먹어 볼게요.

츠지나카
군.
고마
워요.

치
잔

귀뚤 귀뚤귀뚤...

귀뚤 귀뚤 귀뚤 귀뚤...

제 19 화

예…?

어…
네.

이
마을의…

저벅

저벅

히카루는 이날
숙제를 깜빡하여
친구들 앞에서
호되게 혼났다.
분명 했는데
잃어버렸다고
변명해서
더 웃음거리가
되었다.

왜 히카루의
숙제가
여 있지...?

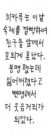

저기,

학생.
이 동네에
살아요?

제
18
화
끝

중요한 프린트일수록 히카루 게 내 가방에 섞여 들어오는 건 옛날이랑 똑같네.

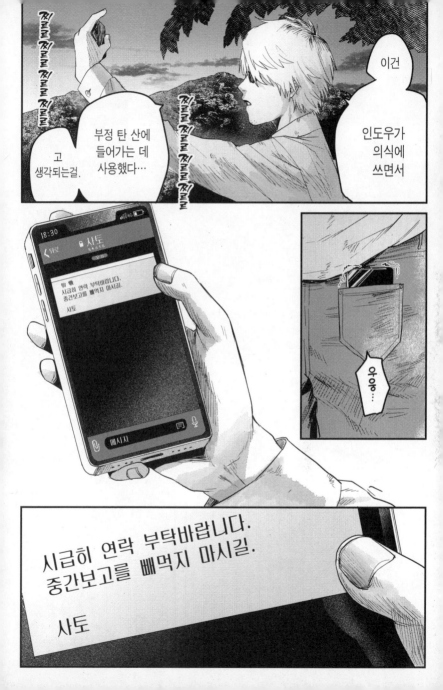

터벅
터벅

털썩

드르륵

다녀왔
습니다
….

어서
~와.

과목 선택 조사표

이름

내일
제출해야 하는
프린트가
두 장….

히카루 몫도
받아왔었네.

고맙디.

... 아니지.

히카루에 대해
알면 알수록

여기 있으면
안 된다는 것이
부각될지도
모른다.

내는
….

사과해도
소용없다이가.

모르는 건
어쩔 수
없는 거니까.

…개안타.

앞으로 니가
또 누굴
죽이더라도

내도 같이
죄를 짊어질
게다.

니까지
그럴
필요는…

왜?

매일 아침 아빠가 없다는 걸 알게 되잖아.

낸 아침이 싫다.

…뭐에 대해 사과하는 건데?

미…안.

…죽음은 무겁다….

타케다
할아버지
….

하지메네
아버지…

타케다
할아버지한테
물어보면
어떨까요?

어머니와
같은 연배
시거든요.

한참
못 봤지….

어릴 때
살짝 접점이
있었던
정도고….

감사
합니다….

죄송
해요.

어머니께서
돌아가신 지
얼마
안 됐는데….

잠시 뒤
폐관 시간
입니다…

….

♪

아…
하지만

하지메는
뭔가 아는 것
같았는데….

당시에도
「노우누키 님」은
마을의 연장자들이
언급하는 정도로만
알았고

아이들은
잘 몰랐어요.

네네.

하지메
…
타케다
아저씨요?

타케다,
미카사에
마츠시마….

두 사람처럼
저희도
소꿉친구
였답니다.

그렇지.   …아,

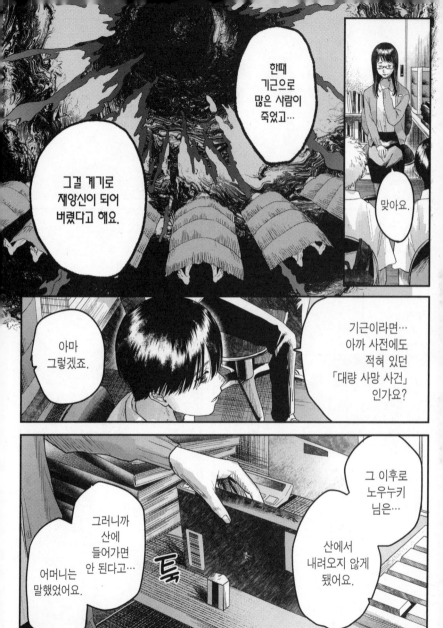

마을이 나뉘기 전부터 줄곧 있었다고….

아뇨….

신… 같은 거라고 했어요.

특정한 공물이라니?

글쎄요…. 뭘 바쳤는지는 몰라요.

「노우누키 님」은 산에 계신 신.

「존재였다」라는 건

지금은 그렇지 않다는 거군요.

특정한 공물을 받는 대신 복을 주는 존재… 였다고 해요.

정말
비정상적으로요.

「노우누키 님」
얘기는
어머니가
자주 하셨어요.

…역시, 나…
「노우누키 님」은
산에 있는
괴물인가.

어머니는
어릴 적 그 산에
숨어들었다가
무서운 일을 겪은
모양이라

그 산에
들어가지
말라고
단단히
이르셨죠.

…어머니가
말하셨나요?

……

…여전히
그런
소리를….

네.
우리는
그게 뭔지
알고
싶어서….

……

여기서
말하긴 뭐하니
장소를 옮기죠.

요시키는
혼나면
당황한다

평소에 성실한 만큼
충격받는 모양...

히카루는
변하기 전/후
신경 안 씀

정줄
놨다.

아
아

어머나…

저도 쿠비타치 출신이에요.

푹.

조금이라도 혼나면 금방 이러제.

아뇨…. 어머니가 최근에 돌아가셔서 20년 만에 그곳에 돌아간지라….

그러셨군요…. 그럼 어릴 때 뵌 적이 있을지도 모르겠네요….

오? 그렇 구나.

최근 돌아가신…

아.

...이게

사람 형태
아이가?

저기…

징그럽
다아—!!

말도
안 된다!

뭐!

사람의
부위와
지명이
제대로
연결되어
있다….

팔에
해당하는 곳은
「우데카리」.
머리에
해당하는 곳은
「쿠비타치」.

「다루마」는…
「몸통」인가?

…다른 지형도와 연결해 볼까.

쿠비타치라든가 주변의 지도도 있겠지.

다루마스테?

이 이름은 뭔데?

여기 원래 이런 이름이었나?

「우데카리」.

이 주변은 딱히 변한 게 없네.

「아시도리」.

「다루마스테」.

지금은 이런 곳 없는데.

아래쪽으로 길게 뻗은 지형이 있어.

「쿠비타치 (首斷)」.

…한자가 지금이랑 다르네.

「우데이리」…

지금은 폐촌이 된 곳이제.

책이
잔뜩 있네.

지도 찾자.
옛날 거.

찾았다….
이건
메이지 전기,

1800년대
후반의
지도네.

개안…

아하하!

아하.

…닌 개안나? 그러고 나서…

내는 개안타.

그게 있제….

…아니.

이야~

…그럼, …… 나…. 미안.

병원에서도 원인을 모르겠다드라.

어째서 일까….

그 뒤로 오른쪽 귀가 잘 안 들리는데….

이 녀석의
정체에 대한
단서가 있다면….

「이 마을의
업보」란 뭘까.

까
악

까
악
—
…

끼
르
끼
르 키
끼
르
끼
르
끼
르
끼
르
끼
르
끼
르
끼
르
끼
르
끼
르
끼
르
끼
르

18: 정말로 불온한 무명 2007/08/31 (금) 19:45:12:50

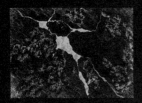

위에서부터 쿠비타치(首立), 우데카리(腕刈), 아시도리(足取)임. 중앙에 키보우가아마(希望ケ山)란 마을이 있는데 이것도 너무 부자연스러운 지명이라서 오히려 불온해.

19: 정말로 불온한 무명 2007/08/31 (금) 19:50:20:12

지명에 희망이란 단어가 들어간 곳은 위험하다던데.
원래 뭔가 위험해서 불길한 지명이었다가
그럼 땅이 안 팔리니까 지명을 바꾸자! 해서 바꾼 거겠지.

20: 정말로 불온한 무명 2007/08/31 (금) 20:01:30:56

내가 사는 곳의 지명이 더 쩌는데?
도깨비뱀악골이라고 하는데

이 이후로는
얘기가
안 나오는데

울 동네 이름,
확실히
이상하제.

…내일
도서관에 가서
쿠비타치에 대해
조사해 볼까….

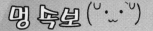

♦「불온한 지명을 열거해 주셈」 정리글

2007/09/25 댓글(10)

< 이전 기사   ⇧   다음 기사 >

1: 정말로 불온한 무명 2007/08/31 (금) 18:00:14:22
부탁함

2: 정말로 불온한 무명 2007/08/31 (금) 18:01:30:47
메이저한 건 필요 없음

게시판의 글을
정리한 내용?

「불온한 지명을
열거해 주셈」

봐봐리.

야,
가깝다.

15: 정말로 불온한 무명 2007/08/31 (금) 18:05:30:01
○○현 ○○ 주위에 키보우가아마라는 곳이 있는데
주변 마을 이름에 유독 신체 부위가 들어가 있어서 무서워.

17: 정말로 불온한 무명 2007/08/31 (금) 19:40:38:22
≫15
자세히 좀

대대로 맡은 역할이 있는 거가?

「산으로 돌려보낸다」고 했고….

응.

히카루가 산에 갔던 것도….

아, 맞다.

요시키한테 보여 줄 거 있다.

뭐였드라
....

엄마랑
할머니는
아는 게
없었고.

결국
알게 된 건
없었네~.

인도우의
남자한테만
전해져
내려오는 기다,
분명...

히카루네 아빠는
그 산에 드가서
뭔가 했었다.

야.

승천하실 것
같은데.

거~
현관 앞에 둔
표고버섯 좀
옮기 놔라.

히카루.

어?

할아버지.

뒷얘기는?

우왓.

응,
응?

요시키?

요시키
아이가!
아이고,
마이 컸네.

…그 사람은…

히치 씨는 뭔데? 사람이가?

「사당」에도 없다카이.

히치 씨를 산으로 돌려보내야 하는디….

이 마을은…

업보가 깊데이….

아주 옛날 부터….

불쌍한 사람이다….

옛날에…

그런 일을 우누키 님헌티 부탁하지 않았더라믄….

…히카루의 할아버지라면 뭔가 아시지 않겠나?

할아버지 인갑다.

슬슬 표고밭에서 돌아올 시간이니까.

후우….

할아버지.

응… 먼 일 이고?

치매기가 있어가 제대로 말해 줄지 모르것다….

느그 집에도
아무것도
없네….

글고
지저분하다
….

글나?

아무것도
없네.

니에
관한 건….

히카루가
초등학생 때
만든
공작이네

아마
고양이였을
껀데.

아.

드글
끌끌끌

마츠우라 할머니도 말했었제… 이 이름.

누키 님에게도

…누키 님….

노우누키 님?

우의 역

으음~ 그게 있제.

내가 그 「노우누키 님」…

인 거가?

이거에 대해서는 기억이 잘 안 난다.

누키 님에게

히카루가 썼으면 기억하고 있을 낀데

머릿속이 흐릿하다….

니한테 보여 줄 거 있는데….

야.

「히카루」가 전에 쓴 메모?

어.

...

기억은 있다이가? 뭐 좀 알겠나?

안 고칠 순
없다이가.
아,
옷 고맙디.

고쳤
….

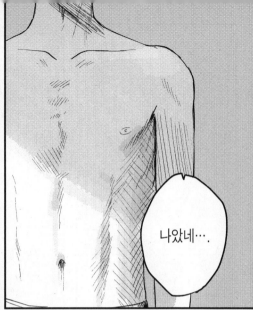

나았네….

아무래도 몸이
안 움직여지는
수준이면
고쳐야지.

통증은
거의 못 느끼니까
작은 상처는
내비둬도ㅡ

…내 결사의
공격도
소용없었다는
거가.

후우
….

살인한 증거를
인멸하는 것
같네.

이제
이 옷에
묻은 피만
지우면
되니까.

엄마가
돌아오기
전에
다 정리해야
된다.

뿌
……

…니,

상처는
어떤데?

실제로…
비슷하겠지.

목
차

히카루가 죽은 여름

모쿠모쿠렌 4

제 17화

이걸로
지워지려나
….

제
17
화

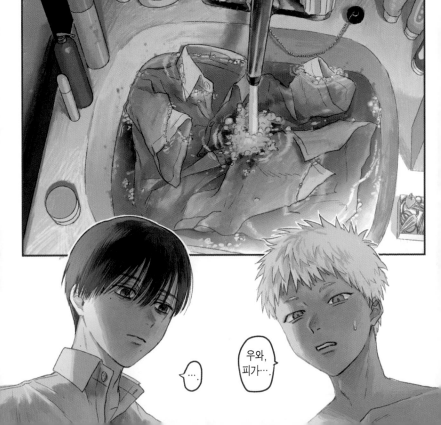

… 우와,
피가….